Wilde Tie

p

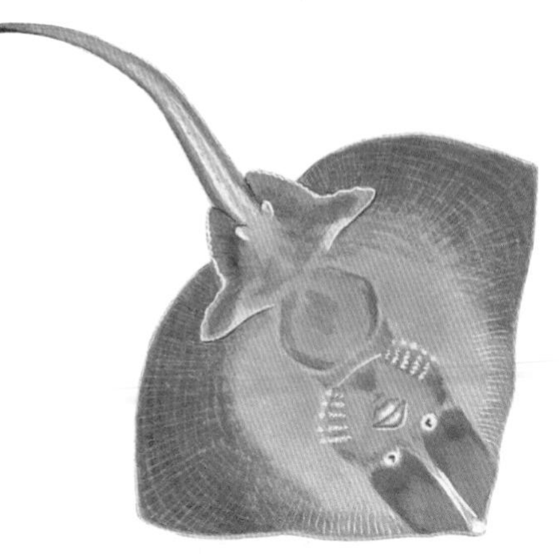

Entwurf: Kilnwood Graphics
Text: Caroline Repchuk

Parragon
Queen Street House
4 Queen Street
Bath BA1 1HE, UK

Übersetzung: Feryal Kanbay, München
Redaktion und Satz: alpha & bet VERLAGSSERVICE, München
Koordination: trans texas Publishing Services GmbH, Köln

Printed in China
ISBN: 1-40544-122-4

Inhalt

AFFENTHEATER

GIBBON

Gibbons sind Weltmeister im Hangeln. Sie haben besondere Knochen in ihren Handgelenken und Schultern, damit sie sich leicht von Baum zu Baum schwingen können.

PAVIAN

Paviane leben meist in großen Gruppen, in denen mehrere erwachsene Männchen das Sagen haben. Sie kämpfen oft miteinander, um herauszufinden, wer der Boss ist. Sie sind aber auch liebevolle Eltern und verbringen viel Zeit mit der Fellpflege.

SCHIMPANSE

Schimpansen sind sehr klug. Sie benutzen sogar Werkzeuge wie Stöcke, um zu fischen oder um nach Termiten zu stochern. Steine verwenden sie als Nussknacker. Man kann ihnen auch eine Zeichensprache beibringen.

ECHT WAHR!

Paviane haben ganz auffällige Hinterteile, die wie Kissen aussehen. Sie sind hart und meistens leuchtend bunt gefärbt.

ORANG-UTAN

Die Arme eines Orang-Utans sind dreimal so lang wie sein Körper. Das ist wichtig für ein Tier, das sein Leben hauptsächlich auf Bäumen verbringt. Dort ernährt er sich von Früchten, Blättern und Zweigen, seine Lieblingsspeise sind aber die nach Käse stinkenden Früchte des Durianbaums.

GROSSES MAUL

GECKO

Geckos können an glatten Wänden hochklettern und mit dem Kopf nach unten an der Decke laufen. Sie haben besondere Haftpolster an den Füßen, die mit tausenden von Härchen besetzt sind. Damit können sich die Geckos festhalten.

KROKODIL

Die in den Flüssen und Sümpfen Australiens und Afrikas lebenden Krokodile sind die größten Reptilien der Erde. Reptilien wie Schlangen, Echsen, Schildkröten, Alligatoren und Krokodile haben Knochen, ein Skelett und eine Haut mit Schuppen. Sie atmen mit Lungen und leben meist an Land.

ECHT WAHR!

Manchmal sieht es so aus, als würden Krokodile weinen. Aber in Wirklichkeit scheiden sie das überschüssige Salz aus, das sie mit der Nahrung aufgenommen haben.

ALLIGATOR

Die meisten Reptilien legen Eier mit einer harten Schale. Wenn die Alligatorenbabys ausschlüpfen, nimmt ihre Mutter sie in ihr Maul und befördert sie so ins sichere Wasser. Alligatoren und Krokodile können ihre riesigen Kiefer mit großer Kraft zuklappen. Die Muskeln, um sie wieder zu öffnen, sind aber sehr schwach.

SCHWERGEWICHTE

GORILLA

Trotz ihrer Größe sind Gorillas sanftmütige Riesen. Ein über 10 Jahre altes Männchen nennt man Silberrücken. Er verteidigt seine Gruppe. Gorillas biegen die Äste von Bäumen zurecht, um sich ein gemütliches Nest über der Erde zu bauen.

ELEFANT

Afrikanische Elefanten sind die größten Landsäugetiere. Alle Säugetiere haben Haare oder ein Fell. Sie sind warmblütig und säugen ihre Jungen. Weibliche Elefanten und ihre Kinder leben in Herden, die von einer erfahrenen Elefantenkuh angeführt werden.

FLUSSPFERD

Flusspferde sind viel im Wasser und können bis zu 15 Minuten abtauchen. Wenn sie träge an der Wasseroberfläche treiben, ragen nur Augen, Ohren und Nase heraus.

NASHORN

Wie bei vielen großen Säugetieren nimmt die Zahl der in der freien Natur lebenden Nashörner immer mehr ab. Der Grund ist, dass man ihnen den Lebensraum weggenommen hat und sie wegen ihres Horns von Wilderern getötet werden.

ECHT WAHR!

Wissenschaftler glauben, dass die nächsten Verwandten der Elefanten die riesigen Meerssäugetiere Manatis und Dugong sind.

WILDE KATZEN

TIGER

Der Tiger ist die größte und stärkste Katze der Erde. Sein gestreiftes Fell hilft ihm, sich so zu tarnen, dass er sich unbemerkt an seine Beute anschleichen und sie von hinten angreifen kann. Tiger ruhen tagsüber und jagen nachts.

LÖWE

Löwen leben in großen Familien, die aus einigen Männchen, hauptsächlich aber aus Weibchen und deren Jungen bestehen. Die Löwinnen jagen in Gruppen große Tiere wie Gnus. Sie lassen dann aber zuerst die Männchen fressen.

HAUSKATZE

Unsere Hauskatzen haben viele Gewohnheiten mit ihren wild lebenden Verwandten gemeinsam – sie gähnen, rollen sich zum Schlafen zusammen und bewegen den Schwanz, wenn sie sich ärgern, wie eine Peitsche.

ECHT WAHR!

Die riesige Pfote eines Tigers ist fast so groß wie der Kopf eines erwachsenen Menschen und kann ihn mit einem leichten Hieb umhauen.

LEOPARD UND JAGUAR

Gefleckte Katzen wie Leoparden und Jaguare verstecken sich in Bäumen, um zu schlafen oder nach Beute Ausschau zu halten. Ihr Fell bietet ihnen eine perfekte Tarnung.

MAHLZEIT!

GEPARD

Auf kurzen Strecken kann der Gepard bis zu 100 Stundenkilometer schnell laufen und ist damit das schnellste Landsäugetier. Von einem erhöhten Punkt hält er Ausschau nach Beute, zum Beispiel nach Antilopen, Impalas und Warzenschweinen.

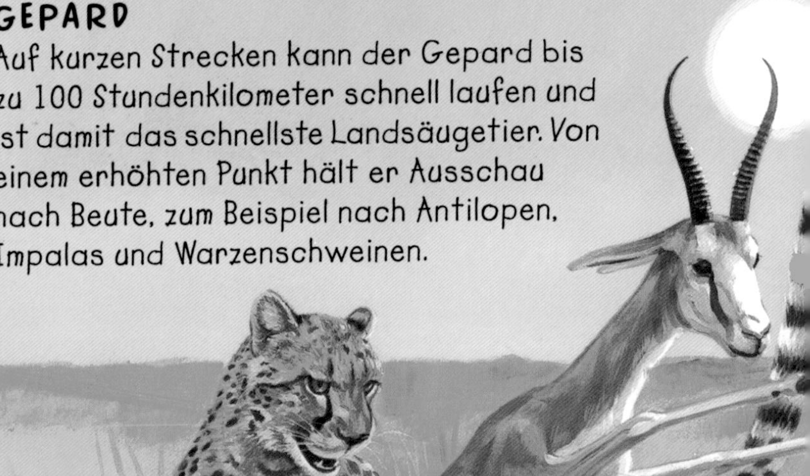

IMPALA

Wenn die Impala Glück hat, kann sie einem Gepard entkommen, da dem schnellen Läufer bald die Puste ausgeht. Wenn sie es weiter als 600 Meter schafft, vor ihm zu bleiben, ist sie gerettet – wenigstens dieses Mal!

GEIER

Geier warten, bis ein Tier tot ist, und stürzen sich dann auf den Kadaver, um ihn zu fressen. Sie sind sehr nützlich, weil sie tote Tiere beseitigen, bevor sie zu faulen anfangen und Krankheiten verbreiten.

ECHT WAHR!

Löwen dösen täglich bis zu 20 Stunden. So sparen sie ihre ganze Energie fürs Jagen und Kämpfen.

ZEBRA

Zebras leben oft mit Gnus in großen Herden. Dadurch können sie sich vor Raubtieren wie Löwen und anderen Großkatzen besser schützen. Jedes Zebra hat sein eigenes Streifenmuster.

EIN HUNDELEBEN

HUSKY

Viele Hunde arbeiten für uns. In der eisigen Arktis ziehen Huskys Schlitten und fahren die Menschen von Ort zu Ort.

HAUSHUND

Hunde werden für ganz bestimmte Aufgaben ausgebildet. Sie retten Menschen aus Lawinen, begleiten Blinde, arbeiten als Polizeihund und hüten sogar Schafe. Ihre hervorragenden Sinne und ihr angeborener Teamgeist machen sie so einzigartig.

ECHT WAHR!

Außer dem Afrikanischen Wildhund haben alle Haushunde wolfsähnliche Urahnen, die vor Millionen von Jahren gelebt haben.

WILDHUND

Die Afrikanischen Wildhunde jagen in Gruppen, die man Rudel nennt. Sie verteilen sich zuerst und umkreisen dann ihre Beute. Sie verständigen sich durch Bellen und Körpersprache.

HYÄNE

Die Tüpfelhyäne gibt zwei verschiedene Laute von sich. Einer klingt wie Lachen, der andere wie Jammern. Hyänen sind Aasfresser, jagen aber auch selbst. Meistens warten sie auf die Reste, die größere Tiere übrig lassen.

STARKE KERLE

BRAUNBÄR

Braunbären sind ausgezeichnete Fischer. Sie wissen genau, wann die Lachse stromaufwärts schwimmen, um zu laichen. Der Braunbär fängt sie mit einem schnellen und kräftigen Tatzenhieb.

SCHWARZBÄR

Schwarzbären sind geschickte Kletterer, sogar noch als erwachsene Tiere. Braunbären klettern nur, solange sie ganz jung sind, auf Bäume. Der Nordamerikanische Schwarzbär oder Baribal hält sieben Monate Winterschlaf – mehr als die Hälfte des Jahres.

ECHT WAHR!

Koalabären sind eigentlich keine Bären, sondern Beuteltiere. Das heißt, sie haben einen Beutel wie die Kängurus.

PANDA

Pandas gehören nicht zu den Großbären, sondern sind näher verwandt mit Waschbären. Ein großer Panda muss jeden Tag eine Menge Bambus (bis zu 20 Kilogramm!) fressen und hat sogar einen besonderen Daumen an der Pfote, um die Bambushalme zu halten. Pandas sind aber in der Natur stark bedroht, da es nicht mehr genügend Bambuswälder gibt.

EISKALTE TYPEN

EISBÄR

Der mächtige Eisbär ist zehnmal so schwer wie ein erwachsener Mensch und das größte Fleisch fressende Säugetier. Ausgewachsene Eisbären ernähren sich von Robben, Fischen und Karibus. Beim Jagen bedecken sie ihre schwarze Nase mit einer Tatze, um sich im Schnee zu tarnen.

PINGUIN

Pinguine sind Wasservögel, die nicht fliegen können. Sie leben in der eisigen Antarktis am Südpol. Im Wasser benutzen sie ihre Flügel als Flossen. Sie jagen Fische und Tintenfische.

WALROSS

Ein Walross hat zwei lange und scharfe Stoßzähne. Es benutzt sie, um sich aus dem Wasser zu ziehen und sich über Land zu schleppen. Mit den Stoßzähnen kann es auch Schalentiere von den Felsen abbrechen und Atemlöcher in die dicke Eisdecke schlagen. Die Männchen benutzen sie für Kämpfe mit Rivalen.

ECHT WAHR!

Robben tauchen unter dem Eis, um Beute zu finden. Zum Luft holen kommen sie hoch an die Atemlöcher, die sie mit ihren kräftigen Vorderzähnen ins Eis hacken.

JAGD UNTER WAS

PIRANHA

Piranhas leben in den Flüssen Südamerikas, wo sie in großen Schwärmen jagen. Mit ihren rasiermesserscharfen Zähnen können sie sogar große Tiere angreifen, die ins Wasser gehen.

STACHELROCHEN

Stachelrochen haben auf ihrem peitschenförmigen Schwanz einen giftigen Stachel, mit dem sie sogar Menschen tödliche Verletzungen zufügen können. Sie liegen meist im Sand vergraben auf dem Meeresboden.

ECHT WAHR!

Viele der Fische, die in den dunklen Tiefen der Ozeane leben, sehen wie Monster aus. Die meisten sind schwarz und einige können sogar ihr eigenes Licht machen.

MURÄNE

Junge Muränen fressen Garnelen und kleine Fische. Wenn sie ausgewachsen sind, gehen sie aber auf die Jagd nach immer größeren Lebewesen.

MONSTER DER TI

WAL

Der riesige Blauwal ist das größte Säugetier der Meere. Eigentlich ist es sogar das größte heute lebende Tier der Erde. Die Buckelwale können trotz ihres Gewichts von 65 Tonnen hoch in die Luft springen und landen mit einem Riesenplatsch auf dem Rücken. Manchmal schlagen sie sogar Purzelbäume.

HAI

Es gibt viele verschiedene Arten von Haien, und alle sind lang gestreckte, schnittige, schnelle Raubfische. Sie alle haben einen glatten Körper und viele Reihen scharfer Zähne. Die meisten sind harmlos, aber jedes Jahr werden etwa hundert Schwimmer von Haien attackiert. Tigerhaie wie dieser hier fressen alles – sogar alte Autoreifen.

ECHT WAHR!

Delfine lieben es, in die Wellen zu springen und sich darin zu tummeln. Der Spinnerdelfin springt aus dem Wasser und wirbelt herum wie ein Kreisel.

DELFIN

Delfine leben in großen Gruppen mit bis zu 20 Tieren und sind in allen Meeren der Erde zu Hause. Die friedlichen und sehr geselligen Tiere spielen und jagen zusammen.

EIGENARTIGE WES

SCHMETTERLING

Raupen verwandeln sich in einer Hülle, die man Puppe nennt, wie von Zauberhand in bunte Schmetterlinge. Es gibt die farbigen Tagfalter und dunkel getönte Nachtfalter. Sie haben vier Flügel mit winzigen, schimmernden Schuppen.

SCHNECKE

Gehäuse- und Nacktschnecken gleiten langsam auf einem großen muskulösen Fuß voran und hinterlassen eine Schleimspur. Sie lieben feuchte, dunkle Ecken im Garten und sind nachts oder nach einem Regenguss besonders aktiv.

REGENWURM

Der Regenwurm lebt in Gängen unter der Erde. Sein langer Körper gleitet mühelos durch das Erdreich, wenn er seine Muskeln streckt und zusammenzieht.

BIENE

Wenn die Honigbiene eine reiche Nektarquelle entdeckt, fliegt sie zurück zum Bienenstock und führt einen besonderen Tanz auf. Die Richtung ihrer Bewegungen zeigt den anderen Bienen, wo sie den Nektar finden können.

ECHT WAHR!

Die meisten Tiere, die auf der Erde leben, sind Insekten. Man kann sie überall, an jedem erdenklichen Ort finden.

BUNTE VOGELWELT

STRAUSS

Der in Afrika lebende Strauß ist der größte Vogel der Erde – viel größer als ein erwachsener Mensch. Er kann zwar nicht fliegen, aber sehr schnell laufen. Das Weibchen legt riesige Eier, die das Männchen nachts bebrütet.

KOLIBRI

Die winzigen Kolibris sind die kleinsten Vögel der Erde. Ihre Eier sind so groß wie ein Fingernagel, und manche Kolibris werden nicht größer als eine Biene. Sie schlagen ihre Flügel bis zu 80-mal in der Sekunde und können als Einzige sogar rückwärts fliegen.

PFAU

Die meisten Vögel haben mehr als tausend Federn und manche sogar noch viel mehr. Der Pfau bietet ein sehr eindrucksvolles Schauspiel, wenn er seine herrlich bunt gefärbten Schwanzfedern wie einen Fächer ausbreitet. Damit kann er die Weibchen anlocken.

TUKAN

Vögel benutzen den Schnabel, um Nahrung aufzuspüren und sie festzuhalten, um Nester zu bauen und das Gefieder zu putzen. Der Tukan kann zum Beispiel mit seinem gewaltigen Schnabel leckere Früchte von den Ästen pflücken.

ECHT WAHR!

Flamingos haben rosa Federn, weil sie kleine Krebstiere fressen, die diesen Farbstoff enthalten. Bei anderer Nahrung wird ihr Gefieder bald wieder weiß.

GRUSELIGE KRABB

SKORPION

Manche Skorpione haben außer einem Stachel auch lichtempfindliche Zellen an ihrem Schwanz. Mithilfe dieser Zellen wissen sie, ob es Tag oder Nacht ist, sogar wenn der Kopf in der Erde steckt. Skorpione jagen nachts und verbergen sich tagsüber in ihren Höhlen.

HIRSCHKÄFER

Die Kiefer mancher Insekten haben sich zu Waffen entwickelt. Käfer haben kräftige Kiefer und die größten hat der Hirschkäfer. Sie sehen aus wie ein Geweih und können so lang wie der Körper des Käfers sein.

ECHT WAHR!

Manche Spinnen fressen das alte Netz auf, bevor sie ein neues spinnen. Es dauert eine Stunde, ein Netz zu weben.

SPINNE

Spinnen haben acht Beine und eine scharfe Klaue mit einer Giftdrüse, mit der sie ihre Beutetiere töten. Das Opfer wird durch Nahrungssäfte aufgelöst und dann von der Spinne aufgesaugt. Die meisten Spinnen weben aus feinsten Fäden ein klebriges Netz, um fliegende Insekten darin zu fangen.

MEISTER DER TAR

PYTHON

Wenn eine Schlange wächst, wird ihre alte schuppige Haut zu eng und darunter bildet sich eine neue. Sie streift die alte Haut ab, indem sie damit am Kopf beginnt und sich bis zum Schwanz durcharbeitet, wie hier dieser Netzpython.

ECHT WAHR!

Manche Wüstenschlangen sind so getarnt, dass sie wie Sand aussehen. So können sie sich verbergen und sich dann auf ihre Beute stürzen.

KOBRA

Viele Schlangen haben Giftzähne, mit denen sie ihrem Opfer den tödlichen Biss zufügen. Die Kobra kann ihr Gift auch ins Gesicht des Opfers spucken und es dadurch blenden.

BAUMSCHLANGE

Die afrikanische Baumschlange hängt vom Baum herab und sieht wie eine harmlose Kletterpflanze aus. Setzt sich aber ein Vogel darauf, packt die Schlange ihn und frisst ihn auf.

CHAMÄLEON

Chamäleons können ihre Farbe ändern, um sich ihrer Umgebung anzupassen. Sie haben eine lange, klebrige Zunge, die herausschnellen kann, um Insekten zu fangen. Ihre großen Augen können sich unabhängig voneinander bewegen.

Die Tiere des Buches